작은
예수가 되라

KB219530

국제제자훈련원은 건강한 교회를 꿈꾸는 목회의 동반자로서 제자 삼는 사역을 중심으로
성경적 목회 모델을 제시함으로 세계 교회를 섬기는 전문 사역 기관입니다.

청소년 제자훈련 · 고등부

작은 예수가 되라 (학생용)

초판 1쇄 발행 2008년 12월 17일
초판 29쇄 발행 2019년 2월 28일

지은이 사랑의교회 청소년 주일학교

펴낸이 오정현
펴낸곳 국제제자훈련원
등록번호 제2013-000170호(2013년 9월 25일)
주소 서울시 서초구 효령로68길 98(서초동)
전화 02-3489-4300 **팩스** 02-3489-4329
이메일 dmipress@sarang.org

ISBN 978-89-5731-308-4 03230

작은 예수가 되라

국제제자훈련원

왜 제자훈련이 필요한가?

"예수께서 나아와 말씀하여 이르시되 하늘과 땅의 모든 권세를 내게 주셨으니 그러므로 너희는 가서 모든 민족을 제자로 삼아 아버지와 아들과 성령의 이름으로 세례를 베풀고 내가 너희에게 분부한 모든 것을 가르쳐 지키게 하라 볼지어다 내가 세상 끝날까지 너희와 항상 함께 있으리라 하시니라" · · · 마태복음 28:18-20

　이 말씀은 갈릴리에서 예수님께서 승천하시는 모습을 직접 목격한 열한 제자에게 주어진 명령이지만, 오늘날 교회의 모든 성도들에게 주신 명령이기도 하다. 성도는 남녀노소 구분 없이 예수 그리스도를 마음으로 믿고, 입으로 시인하는 모든 사람들을 말한다. 그렇기에 예수님이 유언처럼 남기신 가장 큰 명령인 대사명大使命 앞에서 성도라면 어느 누구도 예외일 수 없다. 이 대사명을 온전히 받들어 삶의 모든 영역에서 온몸으로 실현해야 하는 것이다. 하지만 오늘날 기독 청소년들은 사도들이 주님으로부터 직접 받은 대사명을 자신들도 계승해야 한다는 것을 모르고 있는 것 같다. 마치 이 대사명이 특정한 사람들의 전유물인 것처럼 여긴다. 교회 자체가 사도들이 받은 사명을 계승하고 있는데, 교회의 중요한 지체인 청소년들이 어찌 그 사명에서 자유로울 수 있는가? 이 사명에서 예외인 성도는 아무도 없다. 성도라면 누구나 이 사명을 위해 헌신할 각오가 되어 있어야 한다.

　그렇다면 대사명에서 첫 번째로 말씀하고 있는 "제자로 삼는 것"은 어떻게 가능할까? 모든 민족을 제자로 삼기 위해서는 우선 자신이 제자로 만들어져야 한다. 이것이 되어야 그 이후의 말씀들도 실천할 수 있다. 예수님의 제자가 된 사람만이 먼저 제자로 삼는 사명을 감당할 수 있다. 물론, 이제 갓 믿고 예수님 앞으로 돌아온 초신자도 제자요, 모태신앙으로 어릴 때부터 예수님을 믿고 교회에 오래 다닌 사람도 제자요, 열심히 배우면서 성숙한 믿음을 갖기 위해 애쓰는 사람도 제자임에는 틀림이 없다. 하지만 영적인 수준에서 보면 이런 제자 간에는 큰 차이가 있는 것이 사실이다. 말씀의 훈련이 되어 있지 않은 사람보다 배우고 지키는 훈련을 받은 사람이 제자의 삶에서 훨씬 앞서 있다는 것이다. 그러므로 예수님을 자신의 주님으로 고백한 사람은 제자가 되기 위해 훈련을 받는 것이 아니고, 제자이기 때문에 훈련을 받는 것이다.

제자이기 때문에 훈련을 받아 주님의 인격을 전적으로 따르는 자가 되어야 한다. 주님의 인격을 전적으로 신뢰하고 따르기 위해서는 모든 것을 내버리는 자기 포기가 있어야 한다. 포기를 못하는 사람은 따라가지 못한다. 자기를 부인하고 십자가를 지고 예수님을 따라야 한다 막 8:34. 이것은 저절로 되지 않는다. 많은 진통과 뜨거운 눈물이 필요하다. 비록 더딜지라도 이러한 변화가 일어나는 자리에 한 차원 높은 제자로 거듭나는 일이 펼쳐질 수 있다.

두 번째로 복음의 증인이 되어야 한다. 예수님은 세상에서 자기를 증거할 사람들을 부르셨다. 그래서 증거 또는 증인이라는 말이 제자로 부르셨다는 말과 같은 의미로 자주 사용된다. 예수님의 십자가와 부활을 직접 목격한 사도들이 그 사실을 직접 전한 것처럼, 증인은 사도들의 증거를 듣고 믿게 된 그것을 다른 사람 앞에서 고백하는 사람이다. 스데반은 사도들처럼 직접 예수님의 십자가와 부활을 목격한 것은 아니었지만 증인으로 부르심을 받았다. 진정한 제자는 훈련을 받아 복음의 증인이 되어야 합니다.

마지막으로 섬기는 종이 되어야 한다. 종이라는 말은 낮은 신분을 나타내는 것으로, 제자가 된 사람이 그리스도 안에서 어떤 사람이 되어야 하는가를 말해 주고 있다. 제자에게 종의 직분은 예수님이 보여 주신 모범이므로 결코 피할 수 없는 것이다. 예수님은 종의 몸을 입고 세상에 오셨다. 예수님의 생애는 이 세상을 사랑하여 자기를 아끼지 아니하고 희생하는 헌신의 과정이었다. 제자는 이런 예수님의 모습을 꼭 닮은 사람이다.

이렇듯 세 가지의 요소가 삶의 영역 속에서 분명히 드러날 때 진정한 제자라고 할 수 있을 것이다. 그리고 이러한 제자가 또 다른 사람, 또 다른 민족을 제자로 삼을 수 있다.

청소년들은 청, 장년에 비해 아직은 어리고, 작고 약하다. 하지만 청소년 시절에 예수님을 믿고 신앙생활을 하게 한 것에는 주님의 분명한 뜻이 있다. 비록 약하지만 예수님처럼 걷고, 말하고, 생각하며 평생을 온전히 예수님의 제자로 살아가게 하기 위함이다. 제자훈련을 통해 그러한 영광스러운 삶의 첫 출발을 하길 바란다. 하나님께서 당신을 통해 이루실 큰 일을 기대한다.

그 작은 자가 천 명을 이루겠고 그 약한 자가 강국을 이룰 것이라 때가
되면 나 여호와가 속히 이루리라 • • • 이사야 60:22

편집위원

작은 예수가 되라

청 소 년
제자훈련 2

01

순종의 생활···

우리가 행위로
구원받는 것이 아니라고
이렇게 살아도 되는 걸까요?

1 요한복음 10장 11절에서 예수님은 자신을 누구라고 말씀하고 있는가? 그렇다면 우리는 무엇으로 비유할 수 있는가?

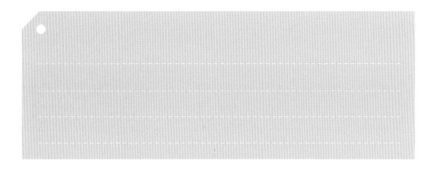

2 요한복음 10장 3-5절에서는 양이 목자를 얼마나 잘 알고 철저히 따르는 지 눈으로 보듯 묘사해 주고 있다. 어떤 모습을 보여 주고 있는가?

3 하나님의 자녀 된 우리는 모든 일을 주님께 순종해야 한다. 그 이유는 무엇인가? (요 10:27)

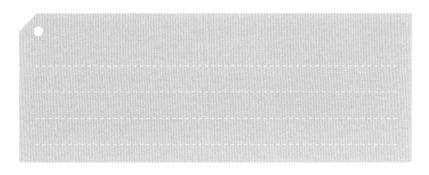

4 어느 때 우리는 예수님의 음성을 정확하게 분별하고 따를 수 있는가?

5 예수님의 음성을 따른다는 것은 우선적으로 그분의 말씀에 순종하는 것을 의미한다. 이 순종은 억지로 하는 복종이 아니다. 어떤 마음으로 하는 것이 순종인가?(요 14:15)

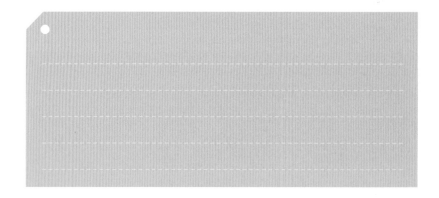

6 예수님을 사랑하여 순종하는 자에게 주시는 복은 무엇인가?(요 14:21)

7 입으로는 예수님을 사랑한다고 하면서도 순종의 모습이 없었다면 그것에 대해 회개하는 기도문을 써보라.

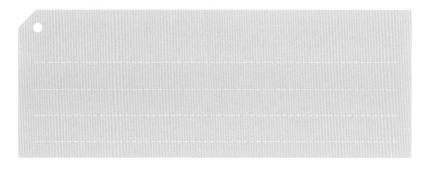

8 예수님의 음성을 듣고 따른다는 것은 그분의 말씀에 순종한다는 의미도 있지만, 예수님을 본받는다는 의미도 있다. 예수님이 우리에게 보여 주신 본은 어떤 것인가?

요한복음 4장 34절

요한복음 8장 29절

9 예수님의 본을 따라 하나님을 기쁘시게 한 경험이 있는지 생각해 보고 적어보라.

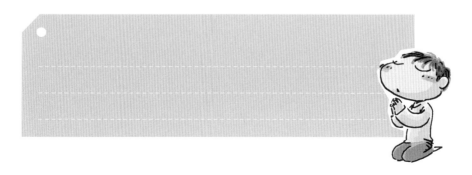

10 예수님은 마태복음 7장 24-27절에서 순종의 중요성을 말씀하고 있다. 본문에 나오는 두 가지 종류의 집을 그려보자.

11 마태복음 7장 24-27절에서 비가 내리고 창수가 나고 바람이 분다는 것은 무엇을 비유하는 말인가?

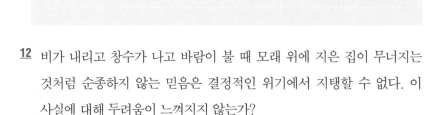

12 비가 내리고 창수가 나고 바람이 불 때 모래 위에 지은 집이 무너지는 것처럼 순종하지 않는 믿음은 결정적인 위기에서 지탱할 수 없다. 이 사실에 대해 두려움이 느껴지지 않는가?

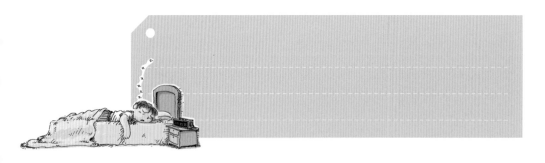

13 홍수가 터지기 전에는 그 집이 반석 위에 있는지 모래 위에 있는지 잘 알 수 없다. 믿음도 마찬가지다. 순종하는 믿음인지 혹은 그렇지 않은 믿음인지, 평안할 때에는 잘 알 수 없다. 자신의 믿음이 순종이라는 반석 위에 세워져 있는지 생각해 보라.

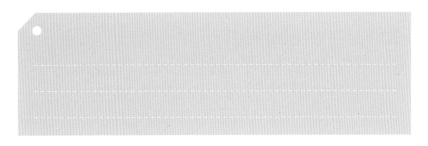

14 믿기만 하면 구원받기 때문에 순종은 별로 중요하지 않다고 주장하는 사람들이 있다. 순종의 중요성을 강조하는 야고보서 2장 18절을 찾아 다음 빈칸을 채워보라.

나는 (   )으로 내 (   )을 네게 보이리라

15 자신의 믿음을 순종이라는 반석 위에 세우기 위해 가장 먼저 고쳐야 할 것이 무엇인지 생각해 보고 함께 이야기해 보라.

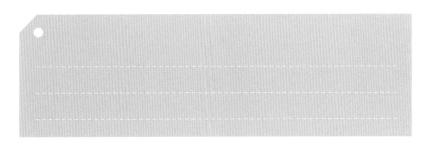

봉사의 의무···

머리만 큰 비정상적인
제자가 된 이유는 무엇일까?
무엇이 부족한지 함께 이야기해 보자.

1 누가복음 22장 24-27절에서 예수님은 서로 다투는 제자들을 향해 무엇을 교훈하고 계시는지 살펴보자.

¹ 제자들은 지금 어떤 자리에서 다투고 있는가?(참고 / 14-15절)

² 12제자들이 싸우고 있었던 내용은 무엇인가?(24절)

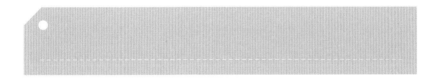

³ 3년 동안이나 예수님 곁에서 배웠던 제자들의 이런 모습에서 찾을 수 있는 문제점은 무엇인가?

⁴ 예수님은 하나님 나라의 리더십과 세상 나라의 리더십이 다르다고 말씀하신다. 어떻게 다른지 비교해서 설명해 보라(25-26절).

세상 나라의 리더십	하나님 나라의 리더십
1	1
2	2

5 예수님은 자신을 어떤 사람으로 묘사하셨는가?(27절) 또 그렇게 생활하신 예수님의
  구체적인 예를 몇 가지 이야기해 보라.

6 예수님의 제자라면 예수님의 삶을 따라가야 한다. 예수님이 제자들에게 요구하신 삶
  의 모습은 한 마디로 어떤 것인가?(26-27절)

7 갈수록 자기를 낮추고 봉사하려는 친구들을 찾아보기가 어려워지고 있다. 섬기는
  일은 교사들이 하면 되고, 학생들은 그저 교회에 나와 주는 것만으로도 고맙다고 여
  기는 풍토들이 많아지고 있다. 예수님을 믿는다는 것은 예수님을 모델로 하여 살아
  가는 예수님의 제자가 된다는 것이다. 앎에만 머물러 있었던 12제자들처럼 나 역시
  섬김과는 무관한 삶을 살고 있지는 않은가?

2 베드로전서 4장 9-11절은 또 무엇을 우리에게 교훈하고 있는지 살펴보라.

1 9절에서처럼 서로 대접하는 일이나 봉사하면서 마음으로 누군가를 원망해 본 일이 있는가? 그 이유는 무엇 때문이었나?(참고 / 눅 10:40)

2 봉사를 잘하려면 성령이 각자에게 주신 은사대로 섬겨야 한다. 은사는 성령께서 남을 섬기라고 주신 타고난 성품과 재능뿐 아니라 후천적인 봉사의 능력을 말하는 것이다. 그러므로 은사를 가진 사람은 선한 청지기처럼 봉사할 의무가 있다(10절). 나에게는 어떤 은사가 있다고 생각하는가?

3 선한 청지기처럼 봉사하는 자세를 위해 가져야 할 2가지 원칙은 무엇인가? 나는 지금 그렇게 봉사하고 있는가?(11절)

첫째 원칙

둘째 원칙

⁴ 교회에서 봉사를 많이 하고도 덕을 끼치지 못해 하나님의 영광을 가릴 때가 있다. 우리의 봉사는 반드시 하나님께 영광이 되어야 한다. 우리가 청지기처럼 봉사하지 않고 마치 주인처럼 행세하면 하나님께 영광을 돌릴 수 없다. 혹시 나의 자랑과 영광을 위해 봉사하다가 교회에 덕을 끼치지 못한 적은 없는지 이야기해 보자(11절).

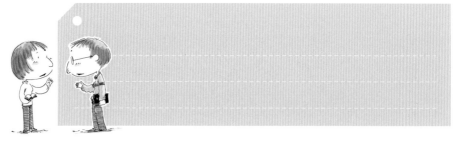

³ 요한삼서를 보면 같은 교회에서 장로의 직분을 가지고 봉사했지만, 하나님의 칭찬을 받은 사람과 하나님께 무서운 책망을 받은 두 사람의 이야기가 나온다. 각자에 대한 내용을 적어보고, 자신이 깨달은 점을 정리해 보라.

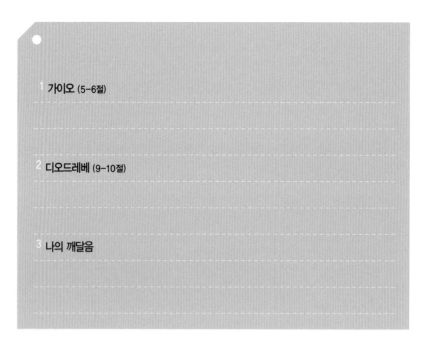

¹ 가이오 (5-6절)

² 디오드레베 (9-10절)

³ 나의 깨달음

4 참된 봉사자에게 하나님이 약속하신 축복은 무엇인가?

1 마태복음 23장 12절

2 마태복음 10장 42절

3 누가복음 6장 38절

4 요한계시록 2장 10절

5 교회를 섬기는 봉사와 관련하여 자신의 결심을 적어보라.

그리스도를 증거하는 생활···

우리의 신앙이 건강하다는 것은
무엇을 보고 알 수 있는가?

1 고린도후서 5장 18-19절에는 하나님이 우리에게 주신 직분이 무엇인지 나타나 있다. 하나님은 우리에게 어떤 직분을 주셨는가?

2 이 직분은 누가 먼저 가지고 계셨던 것이며, 누구와 누구를 화목하게 하셨는가?

3 화목하게 하는 직분은 전도의 직분을 뜻한다. 전도가 화목하게 하는 직분이라는 것과 자신에게 이러한 직분이 주어져 있음을 깨닫고 있었는가? 화목의 직분이 주는 느낌은 어떠한가?

4 화목하게 하는 직분과 함께 또한 우리에게 무엇을 부탁하셨는가? 복음
이 무엇인지 정확하게 정의내려 보자.

5 복음의 말씀은 함께 나누어 먹어야 할 생명의 떡이다. 이 떡을 나누지 않
고 혼자 움켜쥐고 있지는 않았는지 돌아보자.

6 마태복음 9장 36-38절에서 예수님은 무리를 보고 어떻게 여기셨으며, 그
렇게 생각하신 이유는 무엇인가?

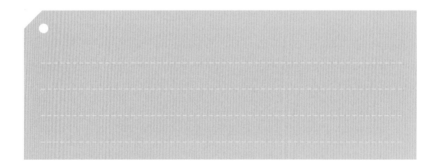

7 어떤 사람들을 볼 때 우리는 불쌍히 여기는 마음이 생기는가? 우리가 사람들을 바라보는 눈과 예수님이 사람들을 바라보는 눈은 어떻게 다른가?

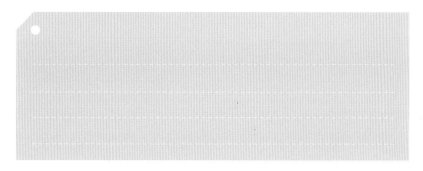

8 로마서 9장 1-3절에 나타난 바울의 근심과 고통은 누구 때문인가?

9 바울의 근심과 고통은 어느 정도였는가?

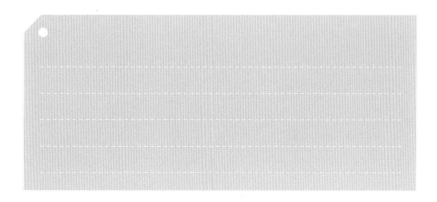

10 바울은 자기 동족을 구하는 일이면 어디까지 희생할 각오를 가지고 있었는가?

11 혹시 주변에 불신 가족이나 친구가 있는가? 그렇다면 그들을 바라보는 자신의 마음과 동족을 바라보는 바울의 심정을 비교해 보라. 불신 가족의 구원을 위해 지금까지 희생한 것이 있다면 함께 이야기해 보라.

12 전도는 말로만 하는 것이 아니다. 아래의 성경말씀에서는 말 외에 무엇이 더 필요하다고 하는지 찾아 적어보라.

1 **마태복음** 5장 16절

2 **베드로전서** 3장 14-16절

3 **요한복음** 13장 34-35절

13 혹시 자신이 전도를 해서 지금도 신앙생활 잘하고 있는 사람들이 있다면 서로 나누어 보라.

14 주변에 우리의 전도가 필요한 사람이 있는지 돌아보고, 그들을 전도하기 위해서 어떠한 노력을 해야 할지 함께 이야기해 보라.

영적 성장과 성숙···

십자가 군병이 가지고
있어야 할 특징은 무엇인가?

1 고린도전서 3장 1-4절에는 2가지 영적 수준의 사람의 모습이 나온다. 어떻게 다른 모습인지 빈칸을 채워보자.

	신령한 자	육신에 속한 자
1절		
2절		
3절		
4절		

2 젖을 먹는 사람들과 밥을 먹는 사람들이 무엇을 의미하는지 히브리서 5장 12-14절에서 찾아보라.

3 고린도 교인들이 육신에 속한 자로서 어떠한 영적 어린아이의 모습을 보였는가?(3-4절)

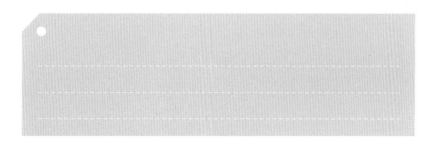

4 혹시 우리 교회, 우리 부서에서는 서로 시기하고 편을 가르고 싸우는 모습이 없는가? 자신이 그런 자리에 있지는 않은지 돌아보고 서로 이야기 나누어 보라.

5 고린도 교회는 성령의 은사에 부족함이 없는 교회였지만(1:7), 영적인 어린아이들이 많았다. 성령의 은사나 체험과 영적인 성숙은 어떠한 관련성이 있는지 생각해 보고 함께 나누어 보라.

6 에베소서 4장 13-16절은 영적인 성숙에 대해 잘 말해 주고 있다. 13절에 나타난 영적 성숙의 목표치는 무엇인가?

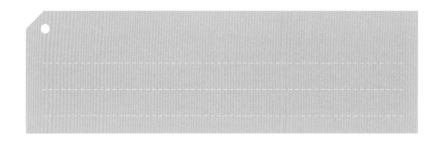

7 14절에 나타나 있는 영적 어린아이의 행동은 무엇인가?

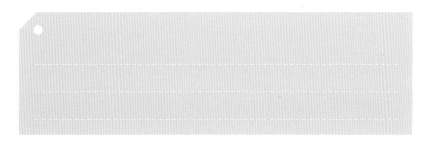

8 영적으로 성숙해 진다는 것은 결국 우리가 '작은 예수가 되는 것'을 의미한다. 왜 그런가?(13, 15절)

9 우리의 생각과 행동, 인생의 목표가 '작은 예수' 다운 모습인지 돌아보자. 예수님과 우리를 비교해 보면서 점검해 보고 함께 나누어 보라.

예수님의 생각	나의 생각
예수님의 생활	나의 생활
예수님의 인생 비전	나의 인생 비전

10 영적인 성숙은 전인적인 성숙이어야 한다. 그래서 15절에는 "범사에 그에게까지 자랄지라"고 말하고 있다. 우리의 전인적인 모습을 되돌아보고 어떠한 부분에서 더욱 많이 자라도록 노력해야 할지 생각해 보자.

지적인 부분 -

감성적인 부분 -

신체적인 부분 -

의지적인 부분 -

인간관계 부분 -

영적인 부분 -

성격적인 부분 -

기타 -

11 영적인 성장과 성숙을 위해서는 다음 몇 가지의 요건들이 필요하다. 어떠한 요건인지 살펴보고, 우리에게 그런 요건들이 갖추어져 있는지 돌아보자. 만약 부족한 점이 있다면 무엇을 더 노력해야 할지 함께 이야기해 보라.

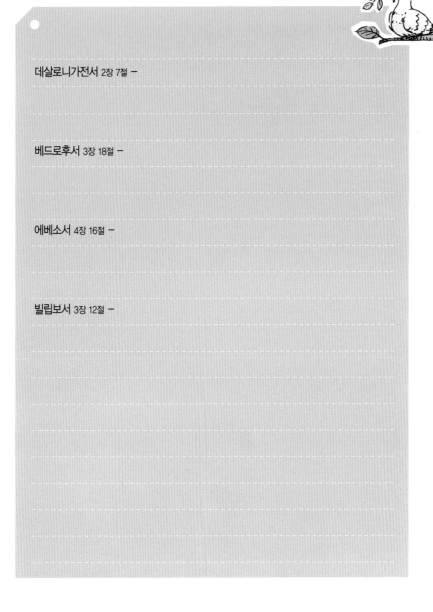

데살로니가전서 2장 7절 −

베드로후서 3장 18절 −

에베소서 4장 16절 −

빌립보서 3장 12절 −

신앙 인격의 연단···

자신의 신앙생활 가운데
경험해 본 고통이나 고난은 무엇인가?
고난당할 때 하나님께
어떤 반응을 보였는가?

1 하나님이 왜 출애굽한 이스라엘 백성을 광야에서 푹신한 침대에 눕혀 인
  도하지 않았는지 그 이유를 신명기 8장을 통해 살펴보자.

1 광야에서 연단하신 첫 번째 목적은 무엇인가?(2절)

2 왜 사람은 고난을 통해 연단받지 않으면 겸손해지지 못할까? 그 이유를 말해 보라.

3 연단의 두 번째 목적은 무엇인가?(3절)

4 사람이 떡으로만 살지 못하며 하나님의 말씀이 있어야 한다는 귀중한 진리를 여러분
  은 언제, 어떻게 깨닫게 되었는가?

5 연단의 세 번째 목적은 무엇인가?(16절)

6 고통을 통한 연단이 자신을 하나님의 축복을 받을 수 있는 자격자로 준비시키는 수단이라는 사실에 대해 어떻게 생각하는가?

7 연단이 없으면 어떤 위험이 따르기 쉬운가? 또 자신이 이러한 위험에 빠졌거나 비슷한 위기를 경험한 일이 있으면 이야기해 보라(12-14절).

8 자신의 신앙 인격이 고난을 통해 성숙해진 부분이 있다면 말해 보라. 또한 그 고난을 오히려 감사의 조건으로 생각한 경험이 있다면 함께 이야기해 보자.

2 고난 속에서 우리가 취해야 할 태도가 무엇인지 욥기 1장을 통해 살펴보라.

1 욥이 어떤 사람인지 간단한 프로필을 말해 보라(1-5절).

2 욥이 고난당하기 전 그에게서 특별히 돋보이는 점은 무엇인가?(1-5절)

3 욥이 당한 고난을 간단히 요약해 보라(13-20절).

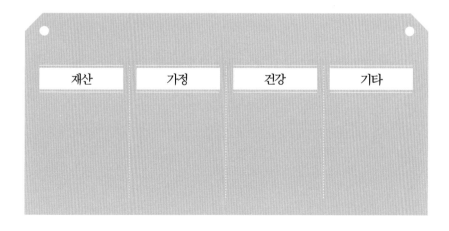

재산 　 가정 　 건강 　 기타

4 고난을 당하자 욥은 어떻게 처신하였나?(20-22절)

5 욥이 극심한 고난을 당했을 때 범죄하지 않고 하나님을 경배할 수 있었던 근본 원인
은 무엇인가?(21절)

6 욥처럼 고난 속에서도 죄를 짓지 않으려면 평소에 하나님에 대한 어떤 지식과 신앙
을 가져야 하는가?

7 자신이 당한 일을 받아들일 수 없어 하나님께 원망하며 갈등을 겪었던 일이 있으면
이야기해 보라.

3 예레미야는 고난 가운데 빠져 있을 때 어떻게 하였는지 예레미야애가 3
장 19-23절을 통해 배워보자.

1 예레미야는 낙심이 되는 순간에 무엇을 기억하였는가?(21-22절)

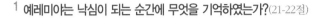

2 절망 가운데 빠진 예레미야를 하나님이 특별히 생각하시고 어떤 은혜를 주셨는
가?(23절)

3 평소에 하나님이 어떤 분이신지 잘 알아두는 것이 절망 중에 소망을 잃지 않는 비결
이다. 그런 경험이 있다면 이야기해 보라.

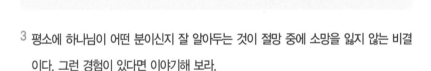

4 자신이 고난 중에도 하나님의 인자하심과 성실하심을 매일 회상함으로써 소망을 되
찾게 된 경험이 있는가?

4 고난을 통해 얻을 수 있는 유익은 무엇인가?

시편 119편 67, 71절

로마서 8장 28절

고린도후서 1장 3~4절

욥기 42장 12~17절

5 지금까지 자신이 인생을 살아오면서 겪었던 고난들을 돌이켜 볼 때 그
  고난들로 인해 얻을 수 있었던 영적인 유익들로는 어떤 것들이 있었는지
  함께 이야기해 보자.

그리스도의 주재권...

예수님을 주님이라고
부르는 것은
무슨 뜻인가?

1 예수 그리스도가 우리의 유일한 주인(주님) 되시는 이유는 무엇인가? 다음의 성경구절들을 찾아보라.

이사야 43장 7절

빌립보서 2장 9–11절

로마서 11장 36절

2 로마서 14장 7-8절에는 반복되는 단어 2개가 나온다. 무엇인지 찾아보라.

3 로마서 14장 7-8절에서 사도 바울은 삶과 죽음에 대해서 무엇을 말하고 싶었던 것일까?

4 7절에서 바울은 자기 마음대로 살고 죽을 수 있는 사람이 우리 중에는 한 사람도 없다고 장담하고 있다. 우리도 바울처럼 그렇게 자신 있게 말할 수 있는가?

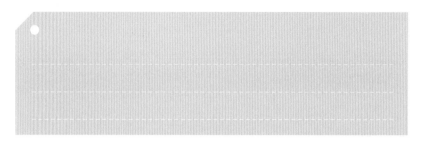

5 어떻게 사는 것이 주를 위하여 사는 것이고, 어떻게 죽는 것이 주를 위해 죽는 것이라고 생각하는지 서로 이야기를 나누어 보라.

6 자신의 삶의 모습에서 주님이 마음대로 다스리고 계시는 영역과 그렇지 않은 영역이 무엇인지 구체적인 예를 들어 말해 보라.

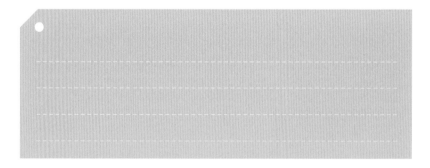

7 요한계시록 3장 14-20절에는 라오디게아 교회의 2가지 문제가 나타나고 있다. 그 문제가 무엇인지 찾아보라.

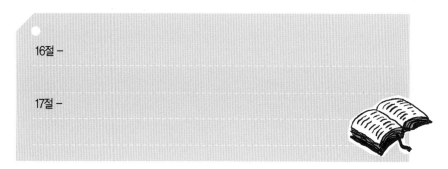

16절 –

17절 –

8 미지근하다는 것은 적극성이 없는 신앙생활을 말한다. 구체적으로 어떤 모습을 말하는지 함께 이야기해 보라.

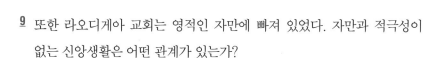

9 또한 라오디게아 교회는 영적인 자만에 빠져 있었다. 자만과 적극성이 없는 신앙생활은 어떤 관계가 있는가?

10 결국 라오디게아 교인들은 미지근한 신앙생활로 인해 주님을 어떻게 대우하였는지 찾아보자(20절).

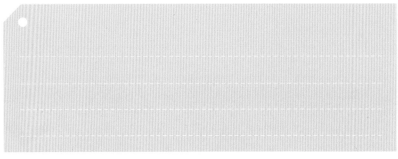

11 라오디게아 교인들이 주님을 다시 마음의 보좌에 모실 수 있는 방법은 무엇인가?

12 자신의 마음에서 주님은 지금 어떤 위치에 계신다고 생각하는가? 문 안에 계시는지, 문 밖에 계시는지 생각해 보고 함께 이야기해 보라.

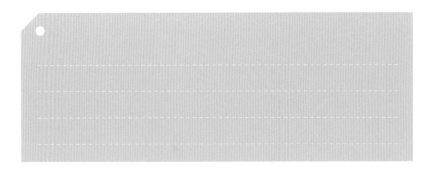

13 빌 브라이트 박사는 예수님의 주인 되심을 중심으로 3가지 유형의 사람을 구별해서 그림을 그려놓았다. 그림을 보고 설명하면서 각각 자신의 입장과 비교해서 이야기해 보라.

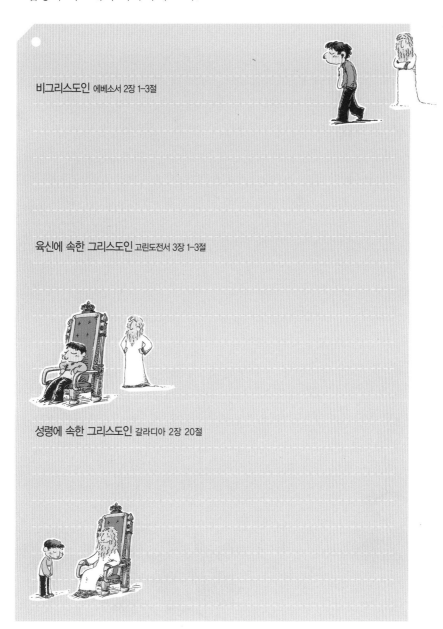

비그리스도인 에베소서 2장 1-3절

육신에 속한 그리스도인 고린도전서 3장 1-3절

성령에 속한 그리스도인 갈라디아 2장 20절

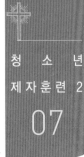

청 소 년
제자훈련 2

07

영적 전투…

우리의 싸움은
이기는 싸움인가?
지는 싸움인가?

1 요한복음 15장 18-19절에는 그리스도인이 영적 싸움을 할 수밖에 없는 이유가 나온다. 여기에서 '세상'과 '너희'는 누구를 말하는 것인가?

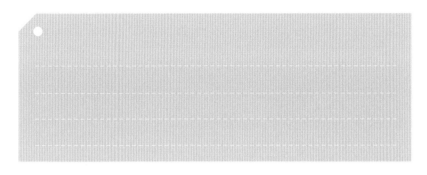

2 세상이 예수님의 제자, 즉 그리스도인을 미워하는 이유는 무엇인지 생각해 보자(19절)

3 여기에서 '속하다'라는 것은 '소속'을 의미한다. 자신이 세상에 속하여 있는지, 예수님께 속하여 있는지 말해 보라.

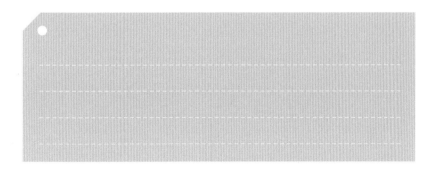

4 예수님의 제자로서 세상에서 얼마나 자주 영적 싸움을 경험하는지 함께 이야기해 보자. 만약 그러한 싸움을 겪고 있지 않다면 그 이유가 무엇인지도 함께 나누어 보라.

5 우리가 싸워야 할 마귀에 대해 좀 더 자세히 알아보자. 다음의 본문에서 마귀를 무엇이라고 표현하고 있는지, 또 마귀의 특성이 무엇인지 찾아보라.

	마귀	마귀의 특성
베드로전서 5장 8-9절		
고린도후서 11장 14절		
요한계시록 20장 10절		

6 마귀는 보통 고난과 핍박을 가할 때는 사자 같고, 유혹할 때는 여우 같은 특성을 드러낸다. 자신의 어떤 면이 마귀에게 약한지 돌아보라.

7 성경에는 영적 무장을 제대로 하지 않아 실패를 경험한 사람들이 나온
다. 어떠한 무장이 소홀하였는지 찾아보라.

베드로 마태복음 26장 41절

후메내오 디모데전서 1장 19-20절

데마 디모데후서 4장 10절

8 에베소서 6장 10-18절에는 우리가 갖추어야 할 영적 무장에 대해 자세히
나타나 있다. 그 목적에 따라 4종류로 나눌 수 있는 영적 무장을 찾아보
고, 영적 무장을 하는 마음으로 벌거벗은 군인을 무장시켜 보라.

① 호신용 14-15, 17절

② 방어용 16절

③ 공격용 17절

④ 경비용 18절

9 위의 4가지 영적 무장 중에서 자신에게 가장 부족한 것이 무엇인지 돌아 보고, 부족한 점을 어떻게 채울 수 있을지 생각해 보라.

10 마귀가 강한 존재임에도 불구하고 우리는 마귀를 능히 이길 수 있다. 아래의 본문에서 그 이유를 찾아보라.

고린도전서 15장 57절

요한일서 5장 4-5절

11 우리는 이미 예수님이 승리하신 싸움을 하는 그리스도의 군사다. 우리의 승리를 확신하며 영적 싸움을 위한 구호를 함께 만들어 외쳐보자.